Pe. FLÁVIO CAVALCA DE CASTRO, C.Ss.R.

CASAL
EM DIÁLOGO

Diretores Editoriais:
Pe. Carlos da Silva, C.Ss.R.
Pe. Marcelo C. Araújo, C.Ss.R.

Editores:
Avelino Grassi
Márcio F. dos Anjos
Roberto Girola

Coordenação Editorial:
Denílson Luís dos Santos Moreira

Revisão:
Denílson Luís dos Santos Moreira
Leila C. Dinis Fernandes

Diagramação:
Juliano de Sousa Cervelin

Capa:
Erasmo Ballot

Dados Internacionais de Catalogação na Publicação (CIP)
(Câmara Brasileira do Livro, SP, Brasil)

Castro, Flávio Cavalca de
Casal em diálogo / Flávio Cavalca de Castro. – Aparecida, SP: Editora Santuário, 2007.

ISBN 978-85-369-0110-7

1. Casais – Conduta de vida 2. Casais – Psicologia 3. Casamento 4. Casamento – Aspectos psicológicos – Cristianismo 5. Vida cristã I. Título.

07-6415 CDD-248.4

Índices para catálogo sistemático:

1. Casamento: Vida cristã: Cristianismo
248.4

20ª impressão

Rua Pe. Claro Monteiro, 342 – 12570-045 – Aparecida-SP
Tel.: 12 3104-2000 – Televendas: 0800 - 0 16 00 04
www.editorasantuario.com.br
vendas@editorasantuario.com.br

Apresentação

"Conversamos quase todos os dias sobre assuntos relacionados à vida do casal e da família, de modo que não vemos necessidade de marcar um encontro extra para um 'diálogo formal' entre o casal." Se assim é seu pensamento, este livro vai lhe interessar.

Quando se pensou em revisar e atualizar o livro "Dever de Sentar-se", surgiu a ideia de elaborar logo um trabalho novo e, de pronto, a tarefa foi confiada ao Padre Flávio Cavalca de Castro, C.Ss.R., pela sua reconhecida capacidade em abordar temas dessa natureza, como o fez magistralmente em "O Casamento-Resposta de Deus" para as Equipes de Nossa Senhora*.

---

* Edição Nova Bandeira Produções Editoriais Ltda., SP, 2005.

Somando sua experiência de sacerdote e do magistério em Teologia com a caminhada profícua de convívio e aconselhamento, junto às comunidades de casais, nas equipes que acompanha, Pe. Flávio Cavalca desenvolve o tema do diálogo conjugal com invulgar sensibilidade, num estilo a um tempo didático e poético, propiciando uma leitura fácil, agradável e de eficaz aproveitamento.

Partindo do princípio de que o casamento é diálogo, enquanto comunidade de pessoas, o autor demonstra que é através do diálogo que o amor se alimenta e permite uma libertação interior, em que homem e mulher se revelam, se compreendem e se abrem para acolher o mistério e o dom um do outro. Mostra, de modo muito vivo, que o diálogo do casal cristão conta sempre com uma terceira pessoa, Jesus Cristo, presença real, certa e amiga que atrai os cônjuges a si e os lança um nos braços do outro, capaz de transformar as realidades da vida matrimonial em sinal de salvação. Por força do sacramento do matrimônio, o diálogo entre marido e mulher como que escreve uma tradução nova do Evangelho, na língua própria e secreta dos que se amam.

Cavalca de Castro, habilidoso conselheiro espiritual, não se limita a discorrer sobre a importância fundamental do diálogo, como comunicação vertebral do amor conjugal, mas cuida, também, de transmitir dicas preciosas para a concretização desta vivência, por meio de orientações bem práticas, que partem da escolha do melhor momento e ambiente para o diálogo, chamam a atenção para as "regras do jogo", no falar, no ouvir, no perguntar, no responder e no decidir, e perpassam sugestões de temas propícios. Nessa perspectiva, para instigar ainda mais os parceiros, aparece com naturalidade um desafio, que é lançado com o propósito de quebrar a rotina: *dialogar na verdade plena*, de modo a levar ao abandono de todas as máscaras, à nudez total, sem nenhum limite. Trata-se, mesmo, de uma aventura radiante, só possível para quem tem a coragem de amar.

Recomendamos, pois, vivamente, a todos os casais a experiência do verdadeiro diálogo conjugal, vivido com regularidade. Sabidamente, esta tarefa pode apresentar dificuldades. Que todos, então, possam tirar destas páginas o auxílio imprescindível para conseguir o êxito almejado, *fazendo das pedras do caminho o caminho das pedras.*

Equipes de Nossa Senhora

Introdução

Num texto de 1945, o Pe. Henri Caffarel, iniciador das Equipes de Nossa Senhora, escreveu: “Não creio estar fazendo um julgamento temerário se afirmar que os melhores casais cristãos, que jamais faltam com o dever de ajoelhar-se, cometem muitas vezes o pecado de não se sentar”. Essa proposta de um diálogo conjugal todo mês foi assumida pelos casais equipistas. Daí em diante passaram a falar no “dever de sentar-se”, como paralelo indispensável ao “dever de ajoelhar-se”.

A direção nacional do Movimento das Equipes de Nossa Senhora pediu-me um texto sobre esse diálogo conjugal, que pudesse ser útil também para outros casais. Pensei logo na conveniência de o texto ser escrito por uma pessoa casada ou por um casal.

Aceitei o convite só depois de ter achado que, sem ser casado, poderia aproveitar tudo que ouvi e aprendi nesses anos de convivência com tantos casais, sem ficar limitado por minha própria experiência pessoal. Aliás, minha posição privilegiada, como expectador de camarote, poderia até garantir-me uma liberdade maior, podendo eu falar sem o medo de ser cobrado.

Só me resta agradecer o que me ensinaram tantos casais, principalmente os casais da Equipe 10 de Guaratinguetá e da Equipe 3 de Aparecida. Para escrever bastou-me relembrar o que contaram tantas vezes. Fico devendo favor especial ao casal Graça e Eduardo Barbosa, de Porto Alegre, que se dispuseram a ler o texto e me ajudaram com sugestões. Se o texto for útil aos casais, pagou a pena, estou recompensado. E que Deus os ajude.

Pe. Flávio

1

O Casamento é Diálogo

No princípio do amor entre um homem e uma mulher, sempre estava e sempre está alguém à procura de diálogo com alguém. Com alguém que seja resposta, mas também seja pergunta. Alguém que seja resposta porque diferente, novo, único, que venha dar resposta a sonhos e anseios, que abra os braços como porto, que se disponha como fonte. Alguém que seja espelho de amor mais alto, janela aberta para horizontes mais amplos, alguém que com sua humanidade ajude a vislumbrar o divino. Alguém que seja resposta, mas também seja pergunta. Alguém que desafie, incite e provoque, que obrigue a revelações, que precise de amor, de fonte, de espelho, de janela aberta.

Casamento não é para ser solidão, nem silêncio, nem fuga, nem fingimento. Tem sentido apenas se for encontro e companhia, prosa longa e sem pressa, cumplicidade, transparência e nudez.

Casamento é comunhão entre pessoas

Cada pessoa é um mistério em si, impenetrável, sobre o qual se fazem apenas conjecturas. É mistério geralmente nem pressentido, quase sempre mal interpretado, muitas vezes inexplicável até para si mesmo. Cada pessoa é mistério, riqueza e pobreza.

Quer comunicar seu mistério e receber o mistério do outro, quer partilhar dos dons que tem e receber um pouco dos dons do outro que lhe faltam. A comunhão entre pessoas concretiza-se na convivência, no desvendamento mútuo de afetos, pensamentos, projetos, esperanças, medos, no doar-se. Ou seja, comunhão é amor, tanto maior quanto maior e mais profunda a comunicação.

O casamento é união de dois mistérios que ou se revelam e decifram, ou se devoram e anulam.

Casamento é comunhão entre homem e mulher

E o amor entre um homem e uma mulher, que os leva a procurar partilha íntima, única e exclusiva de vida, é comunhão das mais estreitas e completas, e das mais difíceis, entre dois seres tão diferentes. Para ser satisfatória, a comunhão conjugal exige o máximo possível de revelação pessoal, de partilha de dons, de convivência, de conhecimento mútuo físico, sensual, intelectual, afetivo, espiritual. Quanto mais diferentes entre si homem e mulher, tanto mais tempo será preciso, e paciência, para que domestiquem sua convivência pela mútua compreensão e compassiva aceitação.

O casamento inclui a comunhão de duas sexualidades – da totalidade de um homem com a totalidade de uma mulher – mas também a comunhão expressa na linguagem do sexo e na partilha dos bens do sexo. Pois bem, a linguagem do sexo é verso bruto que precisa ser lapidado. Precisa ser explicado ou desdobrado e explicitado pela palavra, pelo menos para que seja apreendido e acolhido em toda a sua riqueza, em todos os seus matizes e tonalidades. Mas para que um emita sua mensagem em linguagem compreensível, é preciso que o outro dê a conhecer seus próprios códigos de comunhão sexual.

Casamento é também comunhão espiritual entre um homem e uma mulher. De um modo ou de outro, Deus, ou pelo menos algo espiritual, deverá estar entre eles. Ela e ele têm modos próprios de olhar para essa realidade, eles a compreendem e expressam em linguagens diferentes. É preciso que essa diversidade leve ao enriquecimento mútuo, e não ao desentendimento ou ao desinteresse. Precisa que cheguem a um acordo quanto a esse terceiro entre eles, ou pelo menos quanto a um sentido espiritual para sua vida a dois.

Casamento é eterna negociação

A convivência e, mais ainda, a comunhão entre diferentes exige negociação. A convivência e, mais ainda, a comunhão entre diferentes que são volúveis exige contínua negociação. E de algum tipo de intermediário.

Para o casal é indispensável a intermediação da palavra, a *palavra que se coloca entre ambos* e os coloca em sintonia. A *palavra entre dois* isso é *diá - logo*. Como tantas outras ricas palavras, também *diálogo* vem da língua grega. *Diá* é preposição que significa: *através de, por meio de, por entre, por causa de*. *Logos* é: *o que foi dito, a palavra, a mensagem* etc. É, pois, através da palavra proferida e ouvida que se estabelece a comunicação entre pessoas. Apesar de não ser totalmente imune à má interpretação, a palavra é mais transparente e de significado mais claro do que a exclamação, o gesto, a postura corporal, a ação e as diversas formas de comunicação inconsciente.

As palavras certas, no momento certo, ajudam a aprofundar a comunhão conjugal, manifestando pensamentos e afetos, anseios e propósitos, mágoas e arrependimentos. Afastam mal-entendidos e encaminham a solução de conflitos. É na conversa calma e sem pressa, sem prazo para terminar, que o casal pode encontrar-se e reencontrar-se, pode estar e ficar nesse relacionamento único, que sempre imaginou ser a coisa mais importante da vida.

Há coisas, e muitas, que o outro precisa saber, e que só poderá saber se forem ditas. Principalmente as coisas do mundo interior do parceiro, seu modo de pensar e de julgar circunstâncias e pessoas, suas intenções e motivações. Mas precisa de informação também sobre as coisas mais simples e corriqueiras, como a saúde, a profissão, a situação financeira, e outras mais importantes, como a caminhada de cada um na vida espiritual, os filhos, a família de um e de outro. Sem esquecer que muitas vezes o importante é perguntar. Isso mostra interesse, facilita ao outro tocar em certos assuntos, evita suspeitas e julgamentos sem base. Mas perguntar mostrando sempre confiança, e fazendo da pergunta uma forma de lealdade.

Para tomar decisões, o casal precisa discernir. Trocando informações será possível ver onde está de fato o problema, quais são as consequências possíveis, quais as soluções viáveis ou melhores. Se a comunicação for bem-feita, será possível chegar a um consenso, a forma de decisão mais de acordo com o amor.

O relacionamento distante é fácil. Tanto mais fácil quanto maior a distância entre as pessoas. O relacionamento conjugal entre homem e mulher é o mais estreito e, por isso mesmo, o mais difícil e desafiador. O roçar-se contínuo facilmente se transforma em atrito, que pode até esfolar. Se um não falar, o outro talvez nem desconfie que está ferindo e magoando. Reclamar faz parte da comunicação, da soluçao e da cura, é também forma de amor e de confiança. Principalmente se a reclamação tomar a forma de pedido e de oferta de ajuda.

O parceiro conjugal precisa de elogios para saber que está sendo apreciado, e não apenas procedendo e fazendo objetivamente bem. Sua opinião é importante para ele.

Fale, elogie, mostre apreço sincero. Mas também saiba censurar, dizer que ele não está certo, que você não gostou. Isso também é amor e partilha de vida.

O presente do casal é mais intensamente vivido se colorido pelas boas lembranças do passado, se temperado pela recordação dos momentos difíceis vividos lado a lado. Falar sobre o passado, relembrar, reviver o que de alguma maneira continua vivo no coração aumenta a cumplicidade, valoriza ou relativiza o presente. A alegria, partilhada e explicitada em palavras no diálogo, torna-se mais intensa. Falar sobre as dores e dificuldades, chorar enganos e desenganos, feridas e derrotas é o melhor jeito para consolar e consolar-se.

O amor nada ensina, se não ensina a perdoar. O casal ainda não é casal, se não aprendeu a perdoar, sempre, tudo. E o perdão somente cura o devedor e tranquiliza quem perdoa quando falado e partilhado nas confidências do diálogo.

É. Parece que o diálogo não é nem obrigação nem remédio para o casal. O casamento é diálogo.

O casamento é diálogo. Mas para que não se torne repetitivo, rotineiro, para que não se torne diálogo que, de tão informal, já nem prende a atenção, o casal precisa recorrer ao diálogo sistemático, programado. Não para substituir o diálogo espontâneo, mas para enriquecê-lo e fazer ainda mais espontâneo, enquanto mais nascido de amor maior.

2

O ambiente para o diálogo

Para uma troca de informações rápidas e descompromissadas, qualquer lugar é bom, não precisa escolher ambiente. No terminal rodoviário, na plataforma do metrô, no bar apinhado e dilacerado pelo som ambiente, mesmo quase gritando, é possível passar e receber mensagens. Nem é preciso que haja sintonia especial entre os que se comunicam. Ou melhor, entre os que comunicam mensagens entre si. Porque, se querem comunicar-se um ao outro, se querem falar sobre si, sobre cada um e sobre o relacionamento entre ambos, então o ambiente precisa ser escolhido. Não é qualquer um que serve, principalmente para o diálogo de casal.

O componente primeiro de um bom ambiente para o diálogo é a boa disposição, de corpo e de alma, dos que vão dialogar. Só haverá diálogo se o casal quer dialogar, se ambos querem dialogar, não por força das circunstâncias, não arrastados, mas porque sentem necessidade desse encontro explícito, aberto e declarado. Querem dialogar porque se amam, porque gostam de estar juntos, de se olhar olhos nos olhos, de abrir o coração para a entrada e a acolhida. Porque um é para o outro o assunto mais importante e, o que é mais, o assunto mais agradável. E mostram isso em tudo: no brilho do olhar, no sorriso dos lábios, na respiração, na calma e ao mesmo tempo ansiosa disposição do corpo e da mente.

Esperaram esse encontro; basta ver como se prepararam, a roupa que escolheram, o perfume que remete possivelmente a um alegre momento, o relógio de propósito esquecido. Querem estar juntos, não por acaso, mas porque se procuram. E vieram sem pressa, não se sentam na beira do sofá; acomodam-se para ficar o mais que puderem. Gostam tanto de estar juntos, que são até capazes de longos momentos de silêncio, no qual sabem se compreender e que é a fonte de seu diálogo em palavras. Querem falar e querem ouvir, principalmente as notícias dessas terras longes e desconhecidas, que são os corações mesmo quando se amam. Eles vêm desarmados, sem prejulgamentos, sem cobranças nem ultimatos. E, o que não é o menos importante, se eles são cristãos, sabem que ao chegar para o encontro marcado do diálogo, Cristo já os estará a esperar pacientemente, porque sempre chega antes. É discreto, mas tem lá o seu jeito de falar sem perturbar o diálogo, sem ser um terceiro, mas sendo antes o ponto de encontro, a chave que lhes permite decifrar seus próprios códigos secretos.

É verdade que o casal que se quer encontrar para o diálogo saberá sempre criar seu "salão de festas" (Ct 2,4). Mas será mais fácil se procurar já pronto um lugar favorável (Ct 1,16). Procurem, então, um lugar que seja ou possa ser apenas seu, onde não sejam interrompidos ou perturbados. Isso pode ser conseguido até em casa, mas dificilmente será possível num restaurante ou bar. Que seja um lugar tranquilo, silencioso, sem distrações que levem a conversa por desvios cômodos, mas improdutivos. Bom será se o lugar escolhido for um ambiente inspirador, num bosque, ao som de uma cascata, o interior de uma igreja deserta, a Capela do Santíssimo nas horas quando ninguém aparece. Às vezes será possível melhorar o ambiente com iluminação adequada, flores, um quadro, música discreta e insinuante. Ainda que não sempre, o lugar escolhido poderá ser um de significado grande para ambos ou pelo menos para um deles.

Para um proveitoso diálogo conjugal, é muito importante a questão do tempo e da ocasião. Tempo e ocasião devem ser previstos, programados e reservados. Mesmo o casal que se ama, facilmente se deixa levar pelo cotidiano envolvente, e acaba não encontrando ocasião oportuna para o diálogo. Para não se privar da alegria e das vantagens desse encontro, o casal decida sua frequência, programe dia e hora, reserve espaço na agenda, e não o ceda a não ser em caso de extrema urgência. Não deixe de dar a devida preferência a seu amor. E que esse tempo reservado para o diálogo nunca seja colocado antes de algum outro compromisso logo em seguida. Se não houver um bom espaço entre eles, um acabará sendo sacrificado, e geralmente o primeiro é que será atropelado. Dificilmente a ocasião será propícia para o diálogo, se ele for programado para o fim de um longo e cansativo dia de trabalho, ou... de lazer. Ou para altas horas da noite, ou para outras em que o sono geralmente vem. Sua esposa, seu marido é muito importante para você. Mais importante que todas as outras pessoas. Reserve-lhe um tempo proporcional a seu amor.

3

Tanta coisa sobre que dialogar

Uma das vantagens de um diálogo conjugal previsto, planejado e preparado é que assim se torna possível examinar a infinidade de temas importantes para a vida do casal. Sem esse recurso, alguns ou muitos desses aspectos da vida poderiam ficar esquecidos, até que estourem em forma de crise. Enquanto outros, nem sempre os mais importantes, voltarão frequentemente ao diálogo, emperrando a caminhada, muitas vezes até porque sua solução depende da resposta a outras questões mais básicas. Por isso mesmo não seria demais se o casal fizesse um planejamento mais amplo para seus diálogos, digamos, para um ano.

Imaginando que este capítulo poderá servir como sugestão de roteiro para diálogos do casal, vou dobrar-me à praticidade e colocar subtítulos.

Dialogar sobre o diálogo

O casal pode começar pelo exame do lugar que o diálogo ocupa em sua vida conjugal. Cheguem a um acordo quanto à importância do diálogo, se atende a suas necessidades de comunicação, se é frequente ou não, se flui com facilidade ou se avança apenas aos trancos. Façam uma lista dos assuntos mais conversados nos últimos meses. Examinem o clima em que o diálogo se dá, se conseguem chegar a um consenso, a decisões unânimes; se tudo termina em boa paz ou não. Não deixem de ver honestamente se gostam de estar juntos, se gostam de conversar sobre si mesmos, se esse é seu assunto principal ou se o diálogo é um martírio temido e protelado o mais possível. É muito importante ver se esses momentos são vividos em espírito de fé, sabendo que estão na companhia de Cristo, que são filho e filha amados por Deus, chamados a dedo para um projeto de vida feliz.

Dialogar sobre o casal

O casal deve dialogar sobre si mesmo. Que cada um possa dizer como é, que espera, qual é sua história, como se sente. Ou seja: o diálogo conjugal deve facilitar a revelação mútua, o conhecimento aprofundado do parceiro, dar a cada um a certeza de estar sendo conhecido e compreendido, de compreender e conhecer. E para conhecer alguém é preciso olhá-lo como pessoa, na sua individualidade, como ser único e irrepetível, não apenas como alguém que desempenha uma função ou tem alguma utilidade. É preciso saber seu nome, que será sempre um nome único, ainda que seja o mais comum dos nomes. O que importa conhecer é a pessoa, que permanecerá para sempre ela, ainda que os anos passem, venham as enfermidades e limitações, manias e rabugices. É a pessoa que você ama; é só a pessoa que você pode amar; do resto pode apenas gostar ou não.

É verdade, o amor do casal exige conhecimento mútuo e mútua revelação. Mas, para evitar incompreensões, digamos logo que o limite para essa revelação mútua é a prudência guiada pelo amor: revelar tudo que possa aprofundar a união e fazer o outro mais feliz. O limite para o conhecimento é a discrição e o respeito amoroso pelo santuário íntimo, a que cada pessoa tem direito, aberto só para Deus.

Se o julgarem conveniente, não deixem de conversar sobre amizades e namoros anteriores ao casamento. Façam-no com tranquilidade tão grande quanto a confiança que atualmente têm um no outro. E, por associação de ideias, por que não falar abertamente sobre algum traço de ciúme que possa existir entre os dois, para desmontar essa armadilha contra o amor? Falem sobre o que pretendiam ou pretendem no tocante à formação, à cultura, à profissão. Examinem as possibilidades, e, se for preciso alguma renúncia, que se examinem os motivos que a exigem e justificam.

Para a harmonia conjugal é importante conversar sobre o modo de cada um ver as pessoas com as quais o casal mantém convivência, como as julga, como se relaciona com elas, com os filhos, pai e mãe, sogro e sogra, cunhados e todos os mais. Não se trata de julgar as pessoas nem de saber qual a opinião mais correta, mas apenas de saber o modo de pensar do outro.

Falem do seu gênio, do que os perturba e irrita, dos medos e receios que ainda carregam. Digam quais são os seus gostos quanto a pessoas, lugares, livros, filmes, comidas e bebidas, quanto a tudo afinal. Não vale pensar que o outro já sabe ou já o descobriu. Deixem claro como gostam de ser tratados, por palavras ou gestos, a sós ou diante de outros. Assim o outro saberá encontrar o jeito certo de se comunicar, sem o perigo de códigos não compreendidos.

Afinal, vocês se amam e querem conhecer-se cada vez mais profundamente. E para o conhecimento do mistério que é cada pessoa, o caminho único é a revelação que cada um faz de si mesmo, sabendo que será compreendido porque é amado. Se não houver revelação, desnudamento mútuo, haverá apenas tentativas de adivinhação, geralmente inúteis quando não desastrosas.

Dialogar sobre a vida de casal

Em se tratando de diálogo conjugal, nem será preciso dizer que seu tema mais importante será sempre a própria vida do casal. E também aqui posso apenas indicar alguns pontos, mais como sugestão, sem pretender traçar um quadro completo. Esse poderá ser montado apenas pelo próprio casal, conforme o que lhe parece mais ou menos importante e urgente.

Em primeiro lugar, é preciso ver como anda o amor mútuo, não apenas enquanto opção séria e fiel, pessoal e gratuita pelo outro, mas também enquanto amor traduzido em linguagem afetiva. Em afeto que se manifesta nos sentimentos, na maneira de olhar o outro e de lhe falar, no tom de voz, nos gestos. E, certo, não pode o casal deixar de conversar muito tranquila e claramente sobre seu modo de se comunicar e revelar no relacionamento sexual. Esse relacionamento é carregado de sentido, diz de fato amor, comprometimento, doação, alegria? Vejam até que ponto corresponde ao desejo de um e de outro, se deixa espaço também para o brinquedo, a fantasia e a improvisação, se é marcado pelo respeito, diria até pela veneração que o outro merece e espera. Principalmente nessa linguagem do sexo é preciso que ambos conheçam os códigos secretos do outro, para que evitem mal-entendidos, e cheguem à mais plena comunicação possível.

Facilmente se instala na vida do casal uma insatisfação difusa, não explicitada nem discutida. É preciso conversar sobre isso, tentar exprimir o que não vai bem, não em forma de acusação, mas como constatação sincera que se expressa na confiança do amor. Diga-se com simplicidade e sem rodeios o que está incomodando ou pelo menos se diga que há um vazio, certo travo de tristeza, um quê indefinido que faz sofrer ou pelo menos não deixa ser tão feliz como se gostaria. O casal deve analisar sua vida, tentar encontrar o espinho oculto que está incomodando, sem o recurso fácil de dizer que tudo não passa de imaginação.

Marido e mulher devem examinar sua capacidade mútua de tolerância e de perdão. Cada um fale sobre si, e também diga como vê o outro reagir nessas situações. Há ciúmes mútuos ou de uma das partes? Até que ponto cada um se sente lisonjeado por algum ciúme do outro, e quando esse ciúme começa a incomodar? Se a vida conjugal está sendo ameaçada ou já está sendo corroída pela rotina, conversem sobre isso, descubram os indícios, analisem as causas, tracem um plano para redescobrir a novidade e os desafios do amor. Cada um faça uma lista de seus melindres e dos melindres do outro: vejam o que precisa ser corrigido, o quanto ainda precisam crescer e amadurecer, o quanto ainda devem aprender a suportar as infantilidades do outro. Mas não deixem de se fazer notar como esses melindres são muito pequenos diante do amor que se dizem ter.

O casamento é para pessoas maduras, livres e iguais. Pois, então, que o casal examine como está sendo respeitada a igualdade entre eles, se está havendo igualdade real de direitos e deveres, se os encargos, o trabalho e as vantagens são divididos equitativamente. Veja se está sendo respeitada a liberdade de um e de outro, se não está havendo dominação, escravização e aniquilamento do outro. Isso para que o opressor deixe de oprimir, e o oprimido, como é seu dever, não aceite a opressão.

Pelo menos uma vez enfrentem a pergunta: gostamos de estar juntos, sabemos "perder" tempo, sem nada fazer, apenas estando juntos, sem pressa, sem pensar em outros ou em outras coisas? Algo vai mal com o casal que precisa sempre de um biombo protetor; o biombo de muita gente ao redor, da televisão ligada, do jornal bem aberto, do computador intrometido, do crochê manso, de outros tantos recursos que todos conhecemos.

O diálogo conjugal, sistemático e explícito, precisa abrir espaço para o exame dos relacionamentos familiares, ainda que isso jamais se deva tornar o assunto principal e quase obsessivo. Falem sobre os filhos, sobre suas características, necessidades e sonhos. Na medida do possível, prevejam, tomem decisões sempre baseadas no consenso. Pais e mães, sogros e sogras, genros e noras, cunhados, sobrinhos e tantos outros parentes formam o círculo de relacionamentos inevitáveis em torno do casal. É preciso traçar uma maneira consensual e coerente de viver esses relacionamentos, sem descuidá-los, mas também sem deixar que se sobreponham à vida do próprio casal, e deste com os filhos. O casamento não é para quem é incapaz de deixar pai e mãe. Aliás, será bom que, pelo menos de vez em quando, o casal veja se na prática está aceitando ficar em segundo plano depois do casamento de seus filhos. E, é claro, o casal continuamente deve julgar, com toda a honestidade, se filhos e netos, principalmente os netos, não estão ocupando o lugar, o primeiro lugar, que sempre deverá estar reservado para esposa e esposo.

Há temas que, sem serem prioritários, não podem ficar esquecidos do diálogo conjugal. A saúde, por exemplo. Ambos devem saber como vai o outro de saúde física e psicológica, tanto mais que um problema nessas áreas influencia diretamente o relacionamento conjugal. Não tenham segredos entre si, nada escondam com o pretexto de não querer deixar o parceiro preocupado. Ele tem direito de saber, para ajudar e também para saber como se portar. O mesmo se pode dizer da profissão, dos negócios, da economia e das finanças. As informações devem ser partilhadas, as preocupações divididas, os projetos traçados em comum, as decisões devem nascer de reflexões que levam ao consenso.

Talvez nem fosse preciso dizer, mas é sempre bom lembrar: o casal que partilha toda a vida não pode deixar de conversar sobre seu relacionamento com Deus. O diálogo explícito, em que ambos partilham suas experiências religiosas, há de ajudá-los a aprofundar sua vivência religiosa a partir da própria vida, dos dilemas enfrentados, das respostas encontradas. Se o casal está preocupado com seu progresso espiritual e seu amadurecimento moral, deve conversar sobre isso. E, sob esse ponto de vista, será muito útil examinar toda a sua vida conjugal para perceber, nas circunstâncias e fatos que a compõe, a vontade de Deus, suas propostas, seus desafios, suas manifestações de amor para com o casal. Quem ama, ajuda a crescer. Que marido e mulher, levados por seu amor, digam-se mutuamente o que esperam do outro, as arestas cortantes que ainda persistem, as asperezas que machucam, as qualidades e virtudes que ainda precisam de polimento.

O casal não é mundo fechado e suficiente a si mesmo. Dialoguem, pois, sobre seu relacionamento social, sobre suas responsabilidades na Igreja, na comunidade, na cidade. Conversem mais vezes sobre o aprofundamento de sua cultura, sobre o que ainda gostariam de aprender, os livros que poderiam ler, os filmes, as músicas, os espetáculos que seria bom apreciar, as viagens há muito tempo sonhadas.

O diálogo conjugal não deve ser encarado utilitariamente apenas como um meio para resolver problemas ou conseguir qualquer outro resultado. Ele é um valor em si mesmo, é um bem a ser procurado por si mesmo, é de certo modo a própria razão de ser do casamento. Afinal, vocês se casaram para se encontrar, para estar juntos, para se conhecer, para se doar, para se amar e difundir amor a seu redor. O diálogo conjugal é amor ou não é diálogo. O amor é diálogo, ou não é amor.

4

O terceiro no diálogo do casal cristão

O diálogo do casal cristão tem características próprias. Antes de mais nada, é inspirado no Evangelho, o que o coloca num nível superior, no âmbito da fé, da caridade e da esperança. Sua orientação, seus critérios e suas normas não nascem apenas da razão humana, mas das propostas de Jesus. Entre outras consequências, isso significa que nesse diálogo ganha quem aceita perder, é mais forte quem é mais manso, tem mais amor quem menos pensa em si. As decisões são tomadas tendo em vista valores definitivos, não os atalhos do imediato, do mais fácil e do que todos fazem.

O impulso que leva a esse diálogo não surge apenas do amor humano entre um homem e uma mulher, mas brota desse amor enquanto assumido, transfigurado e divinizado pela participação de ambos na vida da Trindade. Procuram o diálogo não em primeiro lugar com algum objetivo prático, mas porque o amor que vem do alto leva-os a se encontrar, a procurar ter um só coração e uma só alma, a serem um como Cristo e o Pai.

Inspirado pelo Evangelho, o diálogo do casal cristão será sempre profundamente marcado pelas virtudes que nascem do amor e o tornam possível, como humildade, mansidão, paciência, alegria, confiança, capacidade de aceitação e de perdão. Jamais será orientado pela esperteza ou duplicidade, jamais será forma de dominação e opressão, jamais será negociação em busca de vantagens.

O diálogo do casal cristão será sempre marcado pela presença misteriosa de um terceiro, Jesus, que disse estar presente sempre que houver pessoas reunidas por causa dele. Quando o casal dialoga, Jesus está presente, não porque eles estejam dialogando. Dialogam, estão unidos no amor e na busca de compreensão porque ele está presente, porque ele os atrai a si e os lança um nos braços do outro. Essa presença amiga nunca deve ser esquecida, jamais deve escapar ao olhar da fé. É para esse terceiro no diálogo que se devem voltar em busca de conselho quando se faz difícil a solução. Nele terão o árbitro quando o egoísmo se fizer ameaça. Sua presença no barco dará coragem nas ventanias e tempestades.

Essa presença de Jesus no diálogo conjugal não deve ser apenas certeza fria da fé. Seja presença acolhida com afeto e calor, com o afeto e o calor que se reservam para os amigos especiais, aos quais o casal abre seu lar. Que ele de fato seja admitido à intimidade do diálogo, seja interrogado e ouvido, solicitado a esclarecer dificuldades e dilemas, a ajudar e amparar na caminhada e nas quedas. Se o casal lhe der atenção, não será ele apenas o Senhor presente com os dois, mas até companheiro e cúmplice que, com um sorriso, quando necessário, facilitará olhar a vida com mais tranquilidade, sem tudo transformar em dramas.

A presença de Jesus é real e certa sempre que dois ou mais, reunidos por ele e por ele mantidos em união, procuram viver a vida nova na fraternidade. Na vida do casal, essa presença real e certa de Jesus é também uma presença sacramental. Presença que transforma todas as realidades da vida matrimonial em sacramento de salvação, crescimento e felicidade para o casal. Por essa presença, cada gesto de amor conjugal é salvífico. Portanto, presença que torna o diálogo conjugal fator de salvação, realidade sacramental através da qual age Cristo para santificar o casal, plenificar seu amor, sanar suas fraquezas, levá-lo à felicidade e à perfeição. Pelo sacramento do matrimônio, o diálogo entre marido e mulher passa a ser como que uma tradução nova do Evangelho na língua própria e secreta dos que se amam. As realidades mais celestes concretizam-se nas pequenas realidades domésticas, e as pequenas coisas da vida tornam-se portadoras das realidades da vida nova.

O terceiro no diálogo conjugal não cria interferências nem distâncias. Aproxima, une, torna possível o contato e a compreensão, é o intérprete quando, ainda imaturos no amor, teimam em falar línguas diferentes. É paciente, não se afasta, mesmo quando às vezes dele se esquecem ou fingem não vê-lo.

A presença de Jesus no diálogo do casal é uma presença amiga e afetuosa. É o Filho de Deus encarnado, capaz de amar com um coração humano, de emocionar-se com a alegria e a felicidade de um casal que se ama. Tem um coração humano, capaz de compreender as angústias, as dores, anseios e esperanças de um homem e de uma mulher que, seduzidos por ele, uniram suas vidas. Pode gostosamente sorrir um sorriso de compreensão quando os vê atarantados por pequenos problemas que parecem montanhas.

Jesus, o terceiro no diálogo, pede apenas que lhe prestem atenção, não façam muito escarcéu, porque jamais fala alto.

5

Como se comunicar Algumas regras do jogo

Ao iniciar o diálogo conjugal, é preciso que o casal se saiba amado por Deus e por ele chamado a viver numa plena comunhão, chamado de modo especial para esse momento de intimidade, de abertura mútua, de entrega confiante. É preciso que cada um confiadamente se saiba amado e desejado pelo outro, que ame intensamente o outro e o deseje do mais profundo do coração. Saiba que é enviado como dom de Deus para seu parceiro que, por sua vez, é também dom especial para seu bem e sua felicidade. Essa é a lei, a regra fundamental para a comunicação. Sem amor não existe comunicação, mas apenas informação e intercâmbio de dados frios e objetivos.

Diálogo é ouvir, falar, perguntar e responder. Não saberia dizer qual o mais difícil, se o falar ou o ouvir. De qualquer modo, no jogo da comunicação há regras que se não podem ignorar.

Falar

Quanto ao falar, a primeira lei é dizer sempre e só a verdade. Não mentir, mas também não trapacear, não esconder, não fingir. O diálogo só é possível se a veracidade está suposta e garantida. E a confiança, uma vez rompida, é cristal difícil de se recompor.

Antes de falar, saiba exatamente o que quer dizer, ponha ordem nas suas ideias. Procure as palavras exatas, não faça rodeios, fale de maneira clara, que dispense explicações. Enquanto possível não se exalte, fale tranquilamente, de maneira mansa, mesmo que seja preciso usar firmeza. Não eleve a voz, e menos ainda grite ou esbraveje. Fale sem exageros, sem carregar nas cores, evite repetições inúteis e dramatizações ridículas. Ponha doçura na voz, respeito, consideração, carinho, amizade. Ironia, sarcasmo, zombaria arruínam qualquer possibilidade de compreensão. E, nunca será demais lembrar, não fale demais, deixe espaço para o outro. Por detrás do muito falar pode estar o medo de ter de ouvir o que o outro tem a dizer.

As afirmações definitivas, cortantes e taxativas são perigosas, irritantes e difíceis de serem comprovadas. Levam apenas a novas contestações e revides. Em vez de fazer afirmações, fale de seus sentimentos, de sua maneira de ver e pensar, de como se sente diante de certos fatos ou situações, de como vê e julga. Não diga, por exemplo, "você não liga para mim". Diga antes: "quando você faz isso ou aquilo, tenho a impressão de que não liga para mim; acho que não sou importante para você". A afirmação sobre um fato sempre pode ser contestada. Mas o outro jamais poderá negar que de fato você esteja sentindo isto ou aquilo, pensando e julgando desta ou daquela maneira, tendo a impressão de que o ocorrido tenha este ou aquele sentido.

De modo especial evite palavras e expressões que possam dar a mínima impressão de descrença na boa vontade do parceiro, de dúvida quanto a sua sinceridade. Mas, principalmente, de fato jamais deixe de acreditar na sua boa vontade, jamais duvide de sua sinceridade. Só assim suas palavras poderão transmitir confiança, apreço e benevolência. Quem ama acredita e confia.

Escutar

Talvez se possa dizer que, no diálogo, o mais importante não é falar, mas ouvir. Se quer bem dialogar, saiba ouvir. Ou melhor: aprenda a ouvir. Porque falar aprendemos muito cedo, mas ouvir só aprendemos quando começamos a aprender a sabedoria de vida.

Ouça com atenção e demonstrando atenção. É possível conversar enquanto se faz outra coisa. Dialogar não. Para dialogar é preciso deixar tudo para se concentrar no outro, para acolher como dom o que diz, para não perder nenhuma de suas inflexões de voz, para captar as menores variações em seu rosto e todos os matizes de sua linguagem corporal. Mais do que ouvir, é preciso escutar o outro. Quanto aos ruídos, basta ouvir; nossa audição funciona automaticamente, sem nossa atenção.

No diálogo é preciso escutar, estar atento, prestar ouvidos para perceber todo o sentido e todo o alcance das palavras.

Se quer de fato escutar o outro, não o interrompa, deixe-lhe todo o tempo necessário para que se exprima da melhor maneira que lhe for possível. Não demonstre impaciência com gestos ou suspiros, nem com a tensão do corpo, como quem gostaria é de se levantar e cuidar de outras coisas. No momento não existe nada mais importante do que escutar. Não se impaciente com as repetições. Muitas vezes a repetição é necessária, é tentativa de, com outras palavras, tornar claro o que a ele parece importante ou até mesmo fundamental. Escute com toda a atenção que lhe for possível, o que significa escutar sem estar ao mesmo tempo imaginando a resposta que dará, a explicação que invocará, a desculpa ou a contestação salvadoras.

Escutar é aceitar a palavra do outro como sincera e inspirada pelo amor. Pois então escute com benevolência, como quem quer bem, sem pressuposições ou preconceitos. Desarme-se, acredite que o outro pode mesmo mudar e melhorar. Suas palavras de agora não precisam necessariamente ser interpretadas a partir de manifestações anteriores, possivelmente infelizes e desastradas. Interessa o que ele diz agora: apenas escute. É o que ele espera.

Responder

Depois de escutar, não tenha pressa em responder, pelo menos dê a impressão de estar considerando e pesando o que lhe foi dito. E antes de responder ponha na voz o máximo de paciência, carinho, doçura e amor.

Muitas vezes o diálogo periga porque, mesmo escutando com a maior boa vontade, não compreendemos o que o outro nos diz. Ou porque não se exprimiu satisfatoriamente, ou porque suas palavras foram distorcidas por nossos filtros pessoais, até sem nenhuma culpa nossa. Para evitar o tradicional "não foi isso que eu quis dizer", antes de responder, procure reproduzir com a maior exatidão possível o que você entendeu. E ao fazer isso, não distorça as palavras, não carregue no tom, não se deixe levar pelo desdém ou pela ironia.

Só comece a responder depois que o outro confirmou que era isso mesmo que queria dizer. E, mesmo assim, nem sempre será conveniente responder ou explicar-se logo. Às vezes o melhor será pedir tempo para pensar e assimilar o que talvez nunca lhe tivesse passado pela mente. A resposta ou a explicação poderá ficar até para um próximo diálogo, alguns dias depois.

Ao responder, tome todo o cuidado para não desviar o assunto que talvez lhe seja incômodo. Enfrente o problema, apresente a solução que lhe parece mais viável. Não ajuda em nada ficar introduzindo novos assuntos antes que se resolva o que já foi levantado. Mas principalmente, ao responder, não venha logo com um revide, contestando acusação com outra acusação. Vocês não são adversários num tribunal. São apenas duas pessoas que se amam e querem entender-se da melhor maneira possível.

Concluir

O diálogo deve levar normalmente a uma conclusão, chegando o casal a decisões claras, concretas e viáveis quanto ao que deve fazer. Isso quer dizer que será preciso deixar estabelecido quem fará o quê, quando, onde, como. A menos que seja preciso deixar a decisão para a próxima oportunidade, para depois de um discernimento mais cuidadoso. Desde que isso não seja recurso para adiar indefinida e medrosamente o que deve ser feito.

Não será demais lembrar que o casal, ao analisar os fatos, e antes de tomar suas decisões precisa orar. Precisa pedir que o Senhor o ilumine, lhe dê sabedoria para ver o melhor, coragem para fazer mesmo o mais difícil, perseverança para continuar sem desanimar apesar de tudo, paciência para esperar o momento certo, doçura mesmo quando for preciso firmeza, alegria mesmo que seja por detrás de lágrimas.

Talvez este seja um bom momento para dizer que parece boa ideia manter uma "*Crônica conjugal*" ou um "*Diário de bordo*", um caderno em que vão sendo registradas as decisões tomadas, as questões em suspenso, e tudo quanto possa ajudar o casal a ter depois um histórico dos passos dados. O tempo passa e facilmente esquecemos as decisões mais sérias e até mesmo momentos muito bons de nossa vida. Anotem, escrevam, gravem, fotografem: hoje é tão fácil fazer isso. Aí está o computador com todas as vantagens que oferece. Inclusive a possibilidade de senhas e codificações.

E, para terminar, uma regra final, mas não a menos importante: elogie sempre o outro pelas qualidades, pelas vitórias, pelos avanços, pelo carinho e pelo amor que lhe dá. Elogio que será tanto mais sincero, caloroso e encorajador quanto maior for seu amor, amor que lhe abrirá os olhos para pormenores que só o amor percebe e sabe apreciar devidamente. O elogio sincero dará ao diálogo conjugal a doçura necessária para que se digam certas verdades menos doces.

6

O diálogo e a espiritualidade conjugal

Há muitas maneiras de encarar a vida e as realidades que formam sua trama. Se admitimos que não somos seres puramente materiais e animais, se aceitamos que nossa realidade não se restringe apenas a estes poucos anos aqui na terra, se nos julgamos responsáveis, capazes de liberdade e de amor, se acreditamos que Deus nos chama para partilhar de sua própria vida, então nossa vida terá um sentido muito próprio. Será orientada também e principalmente pelos valores do espírito, pelos valores que não passam, pelos valores anunciados no evangelho de Jesus. É tudo isso que condensamos em uma expressão, ao dizer que temos ou queremos ter *uma espiritualidade*.

Em toda proposta de vida existe sempre uma exigência de crescimento, de progresso, de aperfeiçoamento. Por isso mesmo o termo *espiritualidade* engloba também a ideia de caminhada consciente, continuada e sistemática em busca da perfeição de vida. Em nosso caso, busca da perfeição na vida cristã, desenvolvendo ao máximo os dons espirituais que o Senhor nos fez. Depois do Concílio Vaticano II (*Lumen Gentium n. 40*), pelo menos em teoria, estamos convencidos de que todos somos chamados à perfeição na participação na vida divina e na vivência do amor e da justiça.

É por isso que podemos falar também de uma *espiritualidade conjugal*. O casamento é resposta de Deus a anseios de homens e mulheres, na sua busca de felicidade e de transcendência, na procura de uma vida que vá além dos horizontes meramente temporais, mas que ao mesmo tempo satisfaça, enquanto possível, os sonhos do espírito, do coração e da carne. Por isso mesmo o casal não pode deixar de lado a busca da perfeição na vida conjugal e através da vida conjugal. Deve tender sempre para a perfeição do amor em todos os seus níveis. E, se não o fizer, o preço será a frustração dos seus melhores sonhos.

O diálogo para a caridade

Caridade é o nome cristão do amor, também do amor de marido e mulher. Sem negar nem esquecer nenhuma das características desse amor, queremos destacar que, na sua plenitude, ele só é possível a partir de um dom de Deus. É a partir dessa libertação interior para o amor que homem e mulher podem de fato dialogar, compreender e deixar-se compreender, revelar-se e abrir-se para acolher o mistério do outro. O diálogo conjugal nasce da caridade e leva à caridade, ou não é diálogo.

O diálogo conjugal nasce do amor, que o torna possível e necessário, e leva a um amor maior. Porque aumenta o conhecimento mútuo das qualidades que alimentam o encanto, e das limitações que solicitam compreensão compassiva. Porque dá a um e outro a tranquilidade de se saber atraente e admirado, querido e amado, acolhido e sempre esperado. Porque possibilita a partilha mútua de riquezas interiores que se mostram apenas ao amor de uma vida. Por isso mesmo o diálogo jamais divide nem afasta.

O diálogo conjugal é indispensável para o casal que quer crescer no amor a Deus. Marido e mulher crescem no amor a Deus e na participação na vida da Trindade à medida que crescem no amor conjugal. O amor recebido ajuda a compreender, um pouco que seja, a generosidade do amor com que o Senhor nos ama. O amor, gratuito e exclusivo, generosamente oferecido ao esposo e à esposa, levará o casal gradualmente a se comprometer com Deus com um amor também gratuito e exclusivo.

Mas também é verdade que, para crescer no amor conjugal, é preciso crescer no amor a Deus. Quanto mais homem e mulher estiverem encharcados da vida que lhes vem da Trindade, tanto mais serão capazes de amar e doar-se, de amar e acolher o dom do outro. O diálogo conjugal pode e deve ajudar o casal a aprofundar-se no amor de Deus e a Deus. Conversem muito e muitas vezes sobre o amor com que Deus os tem tratado, seu carinho e sua ternura, sua generosidade e sua paciência. Olhem para o passado e para o presente, apontem e cantem cada uma das gentilezas divinas. Falem sobre o como e o quanto querem amar o Senhor, revelem os convites recebidos para uma intimidade maior, comentem as lutas travadas, as vitórias e as derrotas nessa batalha contínua com a sedução de um Deus que não descansa na corte que lhes faz.

O diálogo para o discernimento

Todos já percebemos que, muitas vezes, nossas ideias se tornam mais claras quando tentamos apresentá-las a alguém. O diálogo calmo entre marido e mulher torna mais clara a dificuldade, ao mesmo tempo que ajuda a perceber as possíveis soluções. Esse é o significado da palavra *discernimento*: discernir é separar os vários elementos, para percebê-los distintamente, separar o verdadeiro do falso, o melhor do menos bom. Do ponto de vista cristão, o discernimento consiste basicamente na procura da vontade de Deus. Vontade divina que não é arbitrária, nem se impõe a nós, mas é apenas um querer nosso maior bem. Iluminado pela fé, o casal saberá perceber essa vontade de Deus, o caminho da felicidade, nas diversas circunstâncias e condições da vida. Normalmente Deus não usa oráculos miraculosos para se comunicar conosco. Manifesta-se através dos acontecimentos e das pessoas. Na vida do casal, manifesta-se de forma privilegiada nas palavras do outro, nas suas ideias e propostas. Escutar o outro no diálogo conjugal, animado pela fé e pelo amor, é o caminho mais curto para descobrir os planos de Deus.

O diálogo para a correção fraterna

No evangelho diz Jesus que, se alguém erra, nossa primeira obrigação é procurá-lo, mostrar em que está errado e como deve proceder. Esse ato de corrigir o outro é chamado de *correção fraterna*, para lembrar que não é ato de uma autoridade ou de alguém superior. É ato de igual para igual, sem imposição nem cobrança, nasce simplesmente da amizade e do amor.

Ajudar o outro a se corrigir é obra de amor, principalmente do amor conjugal. Os antigos mestres espirituais já indicavam algumas regras para uma boa correção do próximo. Vamos lembrar apenas que: é preciso escolher o momento certo e as palavras certas, ser objetivo, não julgar a intenção do outro, não usar tom acusatório ou de ironia, dar tempo para que o outro possa assimilar o que lhe foi dito e perceber a necessidade de mudança, esperar que consiga de Deus força para mudar e converter-se. O ardido da correção deve ser temperado pela doçura; a dureza da verdade precisa da ternura das palavras; o desafio da conversão tem de ser acompanhado da mão que se estende para ajudar.

Mas há também regras para quem recebe a correção fraterna no diálogo conjugal. Vamos lembrar apenas algumas: escute sem prevenção, acredite que está sendo amado, não tente logo se defender, dê-se tempo para assimilar a ideia de ainda não ser perfeito, agradeça, peça ajuda, não aproveite a ocasião para indicar as falhas do outro, nem faça cobranças do passado.

O diálogo para a correção fraterna, de uma maneira ou de outra, deverá terminar sempre em oração. Digamos assim: com ambos abraçados em silêncio, diante daquele que os pode afinal ajudar a crescer no amor. E, é claro, quanto mais espinhos arrancados com a correção fraterna, tanto menos frequentes serão as picadas mútuas.

O diálogo para a reconciliação

Por mais que um casal se ame, por mais que procure viver de acordo com esse amor, sempre haverá falhas, desencontros e mágoas. E muitas vezes não basta um perdão apressado e rotineiro. Há falhas, desencontros e mágoas que exigem tratamento especial e mais cuidadoso. Um diálogo sincero ajudará a perceber a fonte, a profundidade e as consequências desses tropeços no amor, e facilitará encontrar seu remédio. Remédio que está na reconciliação gerada e conquistada a dois.

Para pedir perdão, a primeira condição é ter consciência da falha cometida. E, para dar o perdão, a primeira condição é admitir que o outro de fato errou, ou não há por que falar de perdão. O diálogo servirá para você reconhecer seu erro ou o erro do outro, com sinceridade, sem tentar agravá-lo, mas também sem inúteis desculpas. Reconhecer o erro é importante, mas o mais importante é saber como fazer no futuro. Entre duas pessoas que se amam, nem sempre será preciso pedir explicitamente perdão. A reconciliação poderá nascer do simples compromisso de um amor maior e mais atento.

Se o diálogo deve levar à reconciliação, não podemos esquecer que nenhum diálogo será possível sem uma reconciliação prévia. Pode parecer uma contradição, mas a verdade é que certos nós não podem ser desatados, mas apenas cortados de uma vez pelo curto-circuito do amor.

7

A sabedoria da experiência

A proposta do diálogo conjugal, como ajuda indispensável na caminhada do casal na busca da plena realização de seu amor, não é simples teoria. É fruto da experiência de casais que puderam comprovar na prática sua eficácia. Não descobriram uma fórmula mágica. Apenas aprenderam com o bom senso de casais de todos os tempos. Foram humildes e corajosos o bastante para assumir o desafio, viram que a ideia era boa. Não a consideram monopólio seu, e por isso a recomendam a todos os casais que querem ser casais bem realizados. A experiência merece ser contada.

Era uma vez

Era uma vez, em Paris, uma jovem recém-casada, que queria fazer de seu amor um caminho para Deus. Procurou orientação junto do também jovem Pe. Henri Caffarel. No próximo encontro, veio também o marido. Logo depois já eram quatro casais dispostos a fazer do casamento uma aventura em busca de Deus e de suas propostas. Em 25 de fevereiro de 1939, eles reuniram-se pela primeira vez todos com Pe. Caffarel, para dialogar, entre si e com Deus, tentando descobrir respostas para as perguntas que já os tinham encontrado. Em 1947 já eram muitos os grupos semelhantes que passaram a se chamar de "Equipes de Nossa Senhora". Mas essa já é outra história.

Dever esquecido

A convivência nesse grupo de casais foi instrutiva também para Pe. Caffarel. Pôde ver de perto os esforços e as vitórias, os desânimos e as dificuldades desses casais interessados em chegar, através de seu amor, à perfeição da vida cristã. Ainda em 1945 ele escreveu um texto que continua muito atual e que não seria justo esquecer num contexto como este. Foi publicado no fascículo n. 5, de novembro de 1945, da revista "*L'anneau d'or*" – *Cahiers de spiritualité conjugale et familiale* ("*A aliança de ouro*" – *Cadernos de espiritualidade conjugal e familiar*):

> "*... Para evitar o perigo de tudo no lar virar rotina, há outro meio sobre o qual gostaria de falar um pouco mais longamente. Tomem sua agenda e, como fariam ao anotar um concerto ou uma visita a amigos, marquem um encontro com vocês mesmos. E fique bem entendido que essas duas ou três horas serão tabu..., ou melhor, serão sagradas, para usar um modo mais cristão de falar. E não permitam que um motivo, que não os faria deixar uma noitada na cidade ou desmarcar um jantar em casa de amigos, leve-os a faltar ao encontro marcado com vocês mesmos.*

E que fazer durante essas horas? Antes de mais nada decidam que vocês não têm pressa; afinal isso não irá acontecer todos os dias! Deixem a praia, vão para o alto-mar, a todo o custo é preciso mudar de ambiente e esquecer as preocupações. Leiam um capítulo bem escolhido de um livro reservado para essa hora privilegiada...

Depois, ou antes, orem durante um longo momento; que cada um, se possível, faça em voz alta uma oração pessoal e espontânea; essa forma de oração, sem desmerecer das outras, aproxima miraculosamente os corações. Pondo-se assim na paz do Senhor, contem um para o outro esses pensamentos, essas queixas, essas confidências que não é fácil – e muitas vezes não convém – manifestar no dia a dia cheio de atividades e confusões, mas que seria perigoso deixar trancados no segredo do coração. Aliás, vocês sabem muito bem que 'há silêncios inimigos do amor'.

Mas não se limitem apenas a si mesmos, nem às preocupações do mo-

mento; façam uma romaria às fontes de seu amor. Repensem o ideal que entreviram, quando iniciaram a caminhada com o mesmo passo alegre. 'É preciso crer naquilo que fazemos, e fazê-lo com entusiasmo.' Depois retornem ao presente, ponham frente a frente ideal e realidade, façam o exame de consciência da família – não estou falando de seu exame de consciência pessoal – tomem as decisões práticas e oportunas para sanar, consolidar, rejuvenescer, arejar, abrir as janelas do lar. Façam esse exame com lucidez e sinceridade, remontem até as causas do mal diagnosticado.

Por que não consagrar alguns momentos também a refletir sobre cada um dos filhos, pedindo que o Senhor, segundo sua promessa, 'dê a seu coração seu olhar divino', de modo que os possam ver e amar como ele o faz, para conduzi-los segundo seus planos. Por fim e principalmente se perguntem se em seu lar Deus ocupa o primeiro lugar. Sobrando tempo, façam o que lhes agrada, mas, por favor, não percam tempo com os trapos da vida nem liguem o rádio. Vocês não têm nada a se dizer? Fiquem juntos em silêncio, e talvez esses não sejam os momentos menos proveitosos. Lembrem-se desta frase de Maeterlinck: 'ainda não nos conhecemos, ainda não tivemos coragem de ficar juntos em silêncio'.

É importante anotar por escrito o que descobriram, estudaram e decidiram durante o encontro. Mas isso pode ser feito outra hora, por um dos dois, e vocês o irão reler juntos no próximo encontro.

Tudo isso que lhes disse nada mais é que um meio para conservar jovem e vivo seu amor e seu lar, certamente um meio entre muitos outros. Esse meio foi adotado por muitos casais que conheço, e já deu provas de sua eficácia. Aperfeiçoem a receita, encontrem ideias melhores e, por favor, contem-me suas descobertas.

Para vencer suas últimas dúvidas e fazê-los admitir a importância do dever de sentar-se, será preciso ainda um exemplo de alguém importante? 'Amigos muitas vezes se espantam com minha tranquilidade. Perguntam de onde vêm minha calma e minha confiança. Aqui está a resposta'. E o marechal Chiang Kai Chek abre uma porta que, do vestíbulo, leva a um pequeno escritório bastante austero: 'Cada dia, sejam quais forem os deveres que me esperam, relatórios ou reuniões de conselho, durante uma hora fico nesse escritório a ler a Bíblia e a orar. Depois vem minha mulher, e juntos pensamos no dia que começa, nas pessoas que encontraremos, no país.'"

Nome que pode incomodar

Foi a partir desse artigo do Pe. Caffarel que o Movimento das Equipes de Nossa Senhora (ENS) começou a falar num "dever de sentar-se". Isso porque, no início do texto, ele escreve: "*Neste século de ação desordenada e de velocidade vertiginosa, há um dever bem desconhecido. E, no entanto, Cristo a ele se refere duas vezes (Lc 14): é o dever de sentar-se. Não creio estar fazendo um julga-*

mento temerário se afirmar que os melhores casais cristãos, que jamais faltam com o dever de ajoelhar-se, cometem muitas vezes o pecado de não se sentar".

O texto de Lucas (14,28-32) é conhecido: "Quem de vocês, querendo construir uma torre, não *se senta* primeiro para calcular os gastos e ver se tem o suficiente para concluir a obra?... E qual é o rei que parte para a luta contra outro rei, sem antes *se sentar* e resolver se com dez mil homens pode enfrentar o adversário que vem com vinte mil?..."

Esse é bem o estilo de Pe. Caffarel: encontrar uma expressão marcante que pode até incomodar. Muitos de fato ficam incomodados com a expressão "dever de sentar-se" e por isso tentam adoçá-la, falando em "prazer de sentar-se". Esquecem, porém, que de fato se trata de um dever e de uma necessidade que, se não atendidos, trazem uma consequência inevitável: o fracasso. Sem falar do que Jesus lembra com uma pontinha de ironia: "Para não suceder que, colocados os alicerces e não podendo terminar, todos os que o virem, comecem a zombar dele, dizendo: – Vejam o homem que começou a construir e não conseguiu terminar!" Não há como escapar. Trata-se de fato de um dever. O prazer virá depois do dever cumprido. E se disserem que para quem ama o diálogo é sempre um prazer, têm razão. Desde que não esqueçam que o amor é provado se nasce do diálogo que leva ao conhecimento e é comprovado se leva à revelação total e gratuita ao outro.

Mas não importa o nome. O que importa, incomodado ou não, é o casal aceitar o desafio. Pois afinal se trata mesmo é de um desafio: dialogar na verdade plena, sem nenhum limite. O que só é possível para quem tem a coragem de amar.

8

Das pedras do caminho fazer o caminho das pedras

Parece que todos os casais que procuram viver essa proposta de um diálogo conjugal criativo concordam no apontar suas dificuldades. Já ouvi tantas vezes essa lista que, penso, não esquecerei pelo menos as principais. Mesmo sem ainda ter chegado a saber se são dificuldades reais ou desculpas mais ou menos espertamente inventadas.

Muitos casais, para não dizer quase todos, desculpam-se com a falta de tempo, a correria da vida, a falta de um lugar onde possam estar a salvo da invasão dos filhos, o cansaço. Outros falam da dificuldade de se lembrar, ou dizem que desanimaram porque não conseguem conversar sem logo se desentender, ou que se sentem constrangidos e acossados com as cobranças contínuas. Tenho impressão de que muitas dessas dificuldades já tiveram resposta nas páginas anteriores. Creio, porém, ser inegável que o diálogo conjugal apresenta de fato dificuldade real. Talvez nem sempre a que geralmente se imagina.

A verdadeira dificuldade

Para dizer tudo de uma vez: a verdadeira dificuldade do diálogo conjugal está na dificuldade do amor. Nem mais nem menos. É fácil deixar-se dominar pelo afeto que se impõe, pelas emoções do momento, pelas vantagens entrevistas. Difícil mesmo é amar por querer, gratuitamente, sem possibilidade nem necessidade de justificativas nem de razões. Pois bem, o diálogo conjugal, enquanto e porque conjugal, pode acontecer apenas a partir desse amor, mantido por esse amor. O diálogo conjugal por si leva a um amor mais generoso, exige que se procure doação mútua cada vez maior, transparência cada vez mais cristalina. Exige a derrubada de muros e paredes, exige até mais, exige a nudez total, o abandono de todas as máscaras, o reconhecimento da própria fraqueza e da necessidade de mudança. O diálogo conjugal é difícil para quem ainda não ama ou tem medo de ser seduzido ao amor total.

Do jeito certo é mais fácil

O casal não desanime diante das dificuldades do diálogo conjugal. Primeiro veja se está tentando fazê-lo como se deve. Não há possibilidade de êxito se o diálogo é tentado bem no pior da crise, quando os ânimos estão exaltados e os corações magoados. Para o diálogo é preciso tempo disponível, sem pressa nem hora marcada para terminar. De modo algum seja o diálogo conjugal oportunidade para julgamentos e condenações sumárias, nem armadilha para acerto de contas. Seja diálogo de pessoas adultas, não implicância de crianças manhosas querendo desforra. Não seja reunião de negócios, para resolver problemas, contratar e demitir, comprar e vender. Isso deve ser examinado pelo casal, mas em outras oportunidades. O diálogo conjugal é para o casal falar sobre si, e não sobre os outros ou as coisas.

Talvez o diálogo esteja sendo difícil para vocês porque o estão transformando em muro-de-lamentações. Não comecem pelas dificuldades e agruras enfrentadas. Falem antes do que está havendo de bom na vida, das conquistas, das alegrias, das esperanças. Com os corações leves, como balões cheios em dias de céu azul, será mais fácil sobrevoar pairando acima das dificuldades que, lá de cima, parecerão e serão bem menores. É normal que o diálogo conjugal, como a cadeira de dentista, encha de receio quem nele sempre enfrentou ataques desapiedados, lamúrias intermináveis, tratamentos mais doloridos que os de canal.

Sei que não é seu caso, mas há casais que fogem do diálogo conjugal porque, todas as vezes que o tentaram, o que conseguiram foi desencadear uma guerra ou pelo menos uma batalha. Mas a culpa não é do diálogo. A culpa é da sua pretensão: quiseram dialogar, mas esqueceram que o diálogo proveitoso só é possível quando iluminado pela fé e amaciado pela caridade. Isso mesmo. Quem no diálogo se deixa guiar por outro espírito que não o de Cristo, irá raciocinar sempre em termos de ganhos e lucros, poder e força, mentira e engano, dominação e prepotência. Só na caridade, no amor que vem de Deus, é possível a compreensão que une. Para esses casais será bom lembrar que: "O amor é paciente; o amor é prestativo; o amor é sem inveja; não se vangloria, nem se incha de orgulho. O amor não age com baixeza, não é interesseiro; não se irrita, nem guarda rancor. O amor não se alegra com a injustiça, mas fica feliz com a verdade. O amor tudo desculpa, tudo crê, tudo espera, tudo suporta" (1Cor 13,4-7). Para esses casais beligerantes aí fica o desafio: antes de começar o diálogo releiam essas palavras de Paulo. E briguem, se puderem.

Espontaneidade x Programação

Outra pedra no caminho é muitas vezes apontada pelos casais: "Achamos muito sem jeito essa história de marcar data e hora para um diálogo conjugal especial. Pior ainda quando até o assunto já é anunciado. Isso tira a espontaneidade!" É. No entanto, no tempo do namoro e do noivado, esperavam ansiosamente a hora, o dia ou a noite do encontro programado. E muitas vezes ficavam repassando o que haveriam de dizer, escolhendo as palavras e – não me digam que não – até mesmo tentando alguma jogada poética mais sedutora.

É certo: para quem ama, qualquer hora é hora. Mas também para quem ama é sempre bom ter horas especiais, previstas, programadas, quando haverá mais tempo, quando não apenas se vive, mas se festeja e celebra, saboreia e cultiva o encontro. Se entre vocês o amor é tão grande, e a compreensão é tão profunda, que a sintonia é total, porque não aumentar essa alegria acrescentando-lhe ainda o prazer da expectativa de um diálogo programado?

Nem sempre o amargo é ruim

Está bem. Concordo. Nem sempre o diálogo conjugal será fácil. Muitas vezes deixará um travo amargo na boca, uma inquietação no coração, uma incerteza no olhar. O que nem sempre será um mal. Pelo contrário. Pois que poderá ser alerta para marido e mulher acomodados ou descuidados, desafio para crescer e amadurecer no amor e nas suas exigências. Para dizer a verdade, o melhor diálogo conjugal nem sempre será o mais tranquilo, o mais doce e reconfortante, o mais romântico e terno. O melhor diálogo conjugal será o que mais espicaçar para a generosidade, a renúncia, a doação, a abertura, numa palavra: pura e simplesmente para um amor maior.

Há muitas pedras no caminho do diálogo conjugal, mas também é certo que, sem ele, será impossível chegar a um casamento feliz. Faça das pedras caminho.

9

Sugestões de temas para bons diálogos

É isso mesmo que leram: sugestões, nada mais que sugestões, sem maiores pretensões, apenas a título de exemplo. Podem servir de ponto de partida quando a inspiração andar curta, e os vários tópicos podem ser misturados e combinados conforme a necessidade. Nem as interpretem como questionários exaustivos, que devam ser respondidos ponto a ponto, felicitando-se às vezes por ali não encontrar alguma pergunta que lhes seria mais incômoda. É somente o casal que, a partir de sua vivência, pode saber qual o assunto mais urgente, quais as perguntas no momento mais mordentes.

Não o disse antes, e talvez este seja o lugar mais oportuno: muitos casais podem chegar a fazer bons diálogos, frente a frente, com toda a abertura, se antes põem por escrito o que gostariam de dizer. Digamos, como se um escrevesse para o outro uma carta tranquila e bem objetiva. Tendo mais tempo para escolher e pesar as palavras, e acertar o tom mais adequado. A carta, ou bilhete, ou longo relatório, ou minucioso arquivo anexado a uma mensagem pelo correio eletrônico, o texto poderá ser lido e assimilado pelo outro. Depois de uma leitura vagarosa e mais objetiva, possivelmente muita coisa ficará mais clara. E a conversa de viva voz poderá, quem sabe, ser mais produtiva.

Até agora sempre falamos de diálogo *conjugal*. É bom não esquecer que muitas vezes será muito útil um diálogo *familiar*, com todos os filhos ao mesmo tempo, só com um ou mais. As razões em favor desse encontro são quase as mesmas que mostram a vantagem do diálogo conjugal. E também as regras do jogo são praticamente as mesmas.

Retrato falado

Como eu me vejo, como você me vê

• De gênio retraído, expansivo, corajoso, tímido?

• De que eu mais gosto?

• Que é que eu mais detesto?

• De que tenho medo?

• Olhando para minha vida eu gostaria de ter...

• Qual minha maior qualidade?

• Qual meu maior defeito?

• ....

Como somos

• Somos casal unido, alegre, simpático, ou o contrário?

• Otimistas ou pessimistas?

• Quais são nossos gostos e preferências como casal?

• Sabemos divertir-nos juntos?

• Que planos temos para o futuro, para a idade avançada, para a viuvez?

• ....

Vida de casal

• Gostamos de estar juntos?

• Em que concordamos e em que discordamos?

• Quais nossas qualidades e potencialidades como casal?

• Quais nossos defeitos e limitações?

• Que pode ser mais aproveitado em nós?

• Que precisa ser corrigido?

• Como vivemos nossa sexualidade conjugal?

• Quanto a isso, quais as insatisfações de cada um?

• Falamos francamente sobre isso?

• Nossa sexualidade está inserida em nossa espiritualidade?

• Partilhamos todos os bens?

• Dividimos todos os encargos, também os domésticos?

• ....

Nós e Deus

• Que lugar Deus ocupa em nossa vida?

• Como vai nosso conhecimento de Deus?

• Como vai nossa vida espiritual: procuro crescer?

• Oramos como casal?

• ....

Nós e os filhos

• Conhecemos nossos filhos? Podemos traçar o perfil de cada um?

• Temos tempo para eles?

• Nós os amamos ou os possuímos?

• Que de melhor passamos para eles?

• Educamos e ao mesmo tempo respeitamos sua liberdade?

• Podem ver em nós um casal feliz, que pode ser imitado?

• Temos preferência descabida ou prevenção contra algum?

• Como vai nosso diálogo com eles?

• Algum apresenta um problema e precisa de cuidado especial?

• Que responsabilidades assumimos na escola dos filhos?

• ....

Nós e os outros da família

• Deixamos de fato pai e mãe para nos casar?

• Como está sendo nosso relacionamento com pai e mãe?

• Com sogro e sogra?

• Com genros e noras? Namorados e namoradas, noivos e noivas dos filhos e filhas?

• Cunhados e cunhadas, tios e tias: problemas ou antipatias?

• Gostamos de receber os parentes?

• Gostamos de visitá-los?

• Temos atenção especial pelos idosos e doentes?

• Ajudamos quando necessário?

• ....

Nós e os que nos rodeiam

• Somos acolhedores?

• Temos problemas com vizinhos?

• Como ajudamos os necessitados?

• ....

Nós e a Igreja

• Qual está sendo nossa participação na comunidade-Igreja?

• Na medida do possível, assumimos responsabilidades?

• Procuramos ajudar outros casais na caminhada?

• Estamos abertos para acolher e ajudar noivos e namorados?

• ....

Agora é sua vez

Essas são apenas algumas sugestões de temas. Olhando para sua vida, suas necessidades e suas experiências, partilhando-as também com outros casais, vocês irão encontrar muitos outros assuntos, alguns urgentes, outros difíceis, mas muitos bem agradáveis para longos diálogos.

Espero estejam dispostos a tentar esse esforço para aprofundar sua comunicação no amor conjugal. A tarefa é desafiadora. Mas, se não for para ser feliz e encontrar no casamento uma resposta de Deus para seus anseios, não paga a pena casar. Retomando a ideia de Pe. Caffarel, vocês que não deixam de se ajoelhar para orar diante do Senhor, não deixem de sentar ambos, face a face. É uma necessidade para vocês, para aprofundar o prazer de viver o amor que escolheram. Que o Senhor prolongue por muitos e muitos anos — na alegria e na paz — o diálogo a três para o qual os convidou e espera.

Índice